Véronique Westerloppe
Père Stéphane Esclef

Illustrations de Chantal Cazin

Jésus, qui es-tu ?

Mame-Edifa

Imprimatur : Paris, le 25 mai 2005, M. Vidal, v.é.
Nihil obstat : Paris, le 25 mai 2005, M. Dupuy.

Achevé d'imprimer en août 2005 en France chez *Partenaires-Livres*®.
Photogravure : IGS
N° d'édition : 05090
Dépôt légal : septembre 2005
ISBN Mame : 2-7289-1153-3
ISBN Edifa : 2-9145-8060-6

Paul a 7 ans. Il aime compter. Il joue au foot et fait du judo. Ce qu'il préfère, c'est faire des galipettes avec Pompon, le chat.

Marion est la sœur de Paul. Elle a 4 ans. Elle dessine des châteaux et des princesses. Elle aime sa poupée et Pompon, le chat.

Paul et Marion sont très curieux. Partout et tout le temps, ils posent des questions sur Dieu, la vie, le monde...

Pas facile pour Papa, Maman, Mamie, Grand-Père et Grand-Mère ! Toute la vie, on se pose de grandes questions ! On n'a jamais fini d'y répondre. Mais on n'est jamais trop petit pour commencer !

Cette fois, Paul et Marion s'interrogent sur Jésus : « Jésus, c'est Dieu ? », « Pourquoi il a deux papas ? », et puis « Qu'est-ce qu'il a fait de spécial, Jésus ? » En route pour de nouvelles aventures et de nouveaux mille et un pourquoi...

Il a grandi comme
tous les enfants, Jésus ?

La crèche de Noël

Paul danse de joie : « C'est Noël ! C'est Noël ! » Tout joyeux,
il demande : « Quel paquet sera pour moi ? Le rouge ou bien
le bleu ? Le plus gros sûrement ! »

Papa prend un air mystérieux :
« Surprise, surprise... tu le sauras tout
à l'heure ! »

Maman dépose l'enfant Jésus à côté
de la crèche et annonce : « Après la
messe, nous l'installerons entre Marie
et Joseph ! »

Marion demande : « Il renaît à chaque
Noël, Jésus ?

– Ah non !, dit Maman. Il est né
une seule fois, il y a deux mille ans
dans une étable à Bethléem. Mais cet
événement est si important que chaque
année, on le fête ! Jésus est le cadeau
d'amour de Dieu aux hommes. Cet
amour-là, il est pour tous... Alors pour
le montrer, on s'échange des cadeaux ».

Près de la crèche, Maman allume une
bougie : « Aujourd'hui, Jésus est encore
notre lumière... Il est vivant, avec nous ».
Marion pose une petite guirlande autour
de la crèche et dit : « Jésus est le roi de
l'amour ».

« En route !, dit Papa. C'est l'heure de
la messe ». Dehors, tout est recouvert
par la neige. Dans la nuit, des lumières
de toutes les couleurs brillent.

Le papa de Jésus

Après la messe de Noël, Paul et Marion veulent voir la grande crèche de l'église. Marion s'émerveille : « On dirait des vrais moutons, et Jésus, il est si petit ! »

Paul, lui, s'interroge : « Il a deux papas, Jésus : Dieu et Joseph ? »

Papa lui explique : « Jésus est le Fils de Dieu : son vrai père, c'est Dieu ! Mais comme Jésus est aussi un homme, il a eu besoin d'un papa en chair et en os pour l'aider à grandir. Ce papa-là, c'était Joseph ».

Paul comprend mieux : « Alors, Joseph s'est occupé de Jésus comme d'un vrai fils ?

– Oui, dit Papa, il l'a nourri, il lui a appris à marcher, à parler, à prier. Il lui a aussi raconté la grande histoire du peuple de Dieu. Et il lui a sûrement fait des cadeaux... pour lui dire son amour ! »

À la sortie de l'église, tout le monde s'embrasse et se souhaite un joyeux Noël. Avec un grand sourire, le père Jacques dit à chacun : « Paix et joie sur la terre pour tous les hommes ! »

Sur le chemin du retour, Paul et Marion marchent vite. Ils sont très impatients de découvrir leurs cadeaux d'amour...

Le berceau cassé

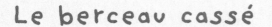

Marion pleure. Son cadeau de Noël est cassé.
Le berceau de sa poupée est tombé dans les escaliers !
Paul veut la consoler : « Ne t'inquiète pas, Marion.
Avec les outils de bricolage que j'ai eus à Noël, je vais
le réparer, ton berceau ! D'accord ? »

Papa conseille Paul : « Avec le pinceau, tu mets un peu de colle ici. Ensuite, tu appuies très fort ».

« J'ai fait une bêtise, hein, Papa ? », dit Marion. Papa la rassure : « Tu ne l'as pas fait exprès. Tu n'as pas voulu faire de mal ! Grâce à Paul, ton berceau sera comme neuf ».

Marion demande : « Jésus aussi a fait des bêtises comme moi ? » Papa sourit : « Oui, peut-être, comme tout le monde. En revanche, il n'a jamais fait ou dit quelque chose de mal, exprès. Et là, il est différent de nous.
– Ah oui, ajoute Paul, Jésus n'est pas comme nous puisqu'il est Dieu. Mais c'est vrai qu'il a été aussi un vrai enfant comme nous, puis un vrai homme ».

Marion embrasse Paul et dit : « Merci, Paul ».

Maman appelle : « Qui veut m'aider à mettre le couvert ?
– Je vais coucher ma poupée et je viens », lui répond Marion.

Paul et Papa se précipitent dans la cuisine... Bricoler, ça donne faim !

J'ai compris !

Jésus a été un tout petit enfant comme moi quand je suis né.
Puis il a grandi à Nazareth avec Marie et Joseph, qui a pris soin
de lui comme d'un vrai fils.

Jésus aimait sûrement admirer la nature et les belles nuits étoilées
de son pays, courir dans les champs et jouer avec ses amis.

Mais par-dessus tout, il aimait tous ceux avec qui il vivait, parce que
l'amour de Dieu son Père était toujours en lui.

À Nazareth, Jésus grandissait
en taille, en grâce et en sagesse
devant Dieu et devant les hommes.

Luc 2, 52

Jésus, que fais-tu ?

C'est mercredi !

Marion est toute contente : cet après-midi, elle est invitée
chez Isabelle. Elle lui fait un dessin pour lui dire qu'elle est
sa meilleure amie. Maman s'exclame : « Quel beau dessin ! »

Alors Marion explique : « Là, c'est un grand soleil. Là, les vagues de la mer ! Et aussi, des fleurs de toutes les couleurs. Et là, les amis de ma classe. Le monde, c'est Dieu qui l'a créé, hein, Maman ? Mais Jésus, qu'est-ce qu'il a fait, lui ? »

Maman répond : « Pendant sa vie sur terre, Jésus a rencontré beaucoup de gens. Il a accueilli, il a pardonné, il a consolé, il a guéri... Aujourd'hui encore, il aime et apprend aux hommes à aimer ! »

Dring ! Dring ! C'est Paul qui rentre du catéchisme avec la maman de Théophile.

Paul raconte : « C'était chouette ce matin ! On a écouté l'histoire de Zachée. C'était un voleur détesté de tous. Avec Jésus, il a compris que Dieu s'intéressait à lui et voulait son bonheur.
– Ça alors, dit Marion. Dieu aime tout le monde, même les voleurs et les méchants ! »

Paul ajoute : « Et Jésus vient leur dire qu'ils comptent bien plus que le mal qu'ils font, alors ça leur donne envie de changer ! Maman, Théophile m'invite chez lui : tu es d'accord ? » Maman accepte : « Bien sûr ! C'est mercredi ».

15

La tempête

Flac ! Floc ! Le trottoir est couvert de flaques d'eau.
Marion ronchonne : « J'ai les pieds mouillés ! »

Paul s'amuse à sauter par-dessus les petites mares d'eau en chantant : « Il pleut, il mouille, c'est la fête à la grenouille ! »

Mamie marche vite : « Quelle tempête ! Rentrons les enfants... »

Paul demande malicieusement : « Et Jésus, il ne pourrait pas arrêter cette tempête ? » Mamie assure : « Jésus ne décide pas du temps qu'il fait. – Ah si !, dit Paul. Ma bible en bande dessinée raconte qu'un jour il était sur un bateau avec ses amis et la tempête s'est déchaînée. La barque était même remplie d'eau. Jésus a commandé à la mer et au vent de se calmer, et ça a marché ! Il avait un truc, Jésus ? »

Mamie explique : « Quand ils font des tours, les magiciens ont des trucs. Mais quand Jésus fait un miracle, c'est pour de vrai ! Il a calmé la tempête pour que ses amis n'aient plus peur et le connaissent mieux. Il a voulu leur dire : "Je vous apporte la paix. Gardez confiance !" Allez, rentrons vite, il fait froid. Je vais vous faire un bon chocolat chaud ».

Paul et Marion s'exclament : « Super ! D'accord, Mamie ».

Superman

Chez Mamie, Paul et Marion se réchauffent.
Paul taquine sa sœur : « **Abracadabra**, j'ai fait
disparaître ta poupée... » Marion gronde : « Paul,
rends-la moi ! J'ai bien vu ton truc : tu l'as fait
glisser sous le coussin ».

Comme promis, Mamie apporte deux grands bols de chocolat chaud et un gâteau à la pomme. Marion se régale : « Hum ! C'est bon... Je suis bien avec toi, Mamie.

– Oui, moi aussi, dit Paul. Marion, chut ! c'est Superman à la télé ! »

Paul n'en revient pas : « Tu as vu, Mamie : Superman, il vole et saute très haut. Il est plus fort que Jésus ! »

Mamie rit : « C'est sûr, Jésus n'escaladait pas les grandes maisons pour montrer sa force. Quand il faisait un miracle, c'était toujours pour consoler, guérir, faire du bien à quelqu'un. Pas pour qu'on l'admire lui, mais pour dire que c'est l'amour de Dieu qui est tout-puissant ».

Marion a compris : « La force de Jésus, c'est d'être attentif aux hommes et pas de faire des exploits ».

Paul conclut : « Oui, mais j'aime beaucoup regarder les aventures de Superman, même si c'est une histoire inventée, et si je sais bien que Superman a un truc ! »

J'ai compris !

À l'âge de 30 ans, Jésus part de village en village. Il rencontre toutes sortes de gens : des grandes personnes et des enfants, des pauvres et des riches, des savants et aussi des gens très simples, des gens honnêtes mais aussi des voleurs. À tous, Jésus parle de la Bonne Nouvelle de l'amour de Dieu pour tous les hommes.

Il console ceux qui sont dans la peine, il partage le pain avec ceux qui ont faim, il guérit les infirmes, il pardonne à ceux qui regrettent leurs péchés.

Certains en l'écoutant et en le regardant vivre apprennent à aimer comme lui. Mais d'autres ne comprennent pas qui il est et refusent de l'accueillir.

> Aimez-vous les uns les autres
> comme je vous ai aimés !
>
> Jean 13, 34

Pourquoi Jésus est-il mort ?

La promenade à vélo

Aujourd'hui, c'est le premier jour du printemps. Papa a une idée : « Si on faisait une promenade à vélo ?
– Oh oui ! », répond Maman.

Et Marion s'exclame : « Super !
On emmène Pompon ? »

Paul, lui, est triste, il se sent seul :
Théophile, son meilleur ami, vient
de déménager très loin. Avec qui va-t-il
jouer le mercredi ?

Sur leurs vélos, Marion et Papa
chantent à tue-tête. Mais après trois
kilomètres, ils sont bien fatigués et
proposent de s'arrêter.

Au pied d'une grande croix en pierre,
Maman distribue des jus de fruit.
En observant la croix, Marion s'exclame :
« Il a dû avoir mal sur la croix, Jésus !
– Oh oui, assure Paul. Mais pourquoi
on l'a tué ? Pourtant, il ne faisait que
du bien ! »

Papa raconte : « Des personnages
importants ont cru que Jésus voulait
devenir un roi très puissant. Ils avaient
peur qu'il prenne leur place ». Marion
hausse les épaules : « Ils n'avaient rien
compris ! Jésus n'est pas un roi comme
les autres. Il n'a pas de couronne. C'est
le roi de l'amour ! »

Papa remarque : « Oui, mais peu
de gens le comprenaient vraiment ».

Maintenant, Pompon s'agite et
se précipite sur les genoux de Marion.
Maman se relève et dit : « Allons,
en route ! Il est temps de rentrer ».

23

La surprise

Demain, c'est le dimanche de Pâques. Grand-Père
et Grand-Mère préparent cette grande fête.
En arrivant chez eux, Paul saute au cou de Grand-Père
et lui chuchote à l'oreille : « Tu sais, Théophile,
mon meilleur ami, a déménagé, et je suis triste ».

24

« J'ai une idée, dit Grand-Père,
viens avec moi dans la cuisine,
on va lui préparer une surprise !
– D'accord, je viens ! », dit Paul.

Dans le salon, Grand-Mère raconte
à Marion l'histoire du dernier jour de
Jésus : « Le vendredi, Jésus est cloué
sur la croix, et il meurt. Le soir, ses amis
déposent son corps dans un tombeau.
Ils sont vraiment très tristes ».

Marion ne comprend pas :
« Quand même, il aurait pu se sauver
de la croix, Jésus ! »

Grand-Mère répond : « C'est vrai,
il aurait pu, car rien n'est impossible
à Dieu. Mais Jésus n'a pas voulu faire
semblant de mourir. Il a vraiment donné
sa vie pour nous... Mais Dieu ne l'a pas
abandonné : il l'a ressuscité ! »

Grand-Père et Paul ont terminé
leur surprise. Ils prennent un air
mystérieux. Marion veut savoir ce qu'ils
complotent tous les deux. « C'est pour
Théophile, répond Paul avec malice.
Je te le dirai demain ! »

La course aux œufs

Après la messe de Pâques, c'est
la course aux œufs dans le jardin.
À quatre pattes, Marion cherche dans
l'herbe : « J'en vois un bleu et un vert ! »
Paul grimpe sur le cerisier en fleur :
« J'en ai attrapé un jaune ! »

« Pourquoi on mange des œufs en chocolat à Pâques ? », interroge Paul.

Grand-Père explique : « C'est une coutume, une habitude. L'œuf est la promesse d'une vie toute neuve, prête à éclore ».

Et Marion demande : « Comment on sait qu'il est revivant, Jésus ? » Paul se moque : « Pas revivant, re-ssu-sci-té ! Ce n'est pas pareil ! »

Grand-Père raconte : « Au matin de Pâques, les amis de Jésus se sont rendus au tombeau. Il était vide ! Ils ont cru qu'on avait volé le corps de Jésus. Ils se sentaient seuls et tristes. Et puis, Jésus ressuscité est venu les visiter. Il leur a demandé d'annoncer sa résurrection à tous. Quelle joie ! Après eux, d'autres l'ont fait... Et aujourd'hui, c'est à nous de le faire ».

« Paul, viens vite, dit Maman, c'est Théophile au téléphone. Pour les vacances de Pâques, il t'invite une semaine dans sa nouvelle maison ».

Paul est ravi : « Chouette ! Allô, Théophile ? je t'ai fabriqué une surprise : un œuf de Pâques géant en chocolat ! »

J'ai compris !

Parmi ceux qui n'aimaient pas Jésus et qui ne croyaient pas qu'il était le Fils de Dieu, certains ont voulu le faire mourir. Parce qu'il avait une immense confiance en Dieu son Père, Jésus a accepté de donner sa vie, toute sa vie jusqu'à sa mort sur la croix.

Il savait que Dieu ne l'abandonnerait pas parce que son amour est bien plus fort que la mort.

Au matin de Pâques, l'amour et la vie sont victorieux. Jésus est ressuscité. Nous croyons, comme il nous l'a promis, que nous aussi après la mort nous vivrons avec Dieu pour toujours.

Avec Jésus, la joie sera toujours plus forte que le chagrin...

Il n'y a pas de plus grand amour
que de donner sa vie
pour ceux qu'on aime.

Jean 15, 13

Comment il nous parle, Jésus ?

La fête de l'école

Aujourd'hui, c'est la fête à l'école. Sur le podium installé pour l'occasion, il y a des danses et des numéros de clowns...

« Et maintenant, annonce monsieur Dutoit, le directeur de l'école, voici, chers parents, la ronde des pays interprétée par les secondes années de maternelle ». Marion et ses amis se mettent en place. C'est parti !

« Tourne, tourne, tourne, c'est la ronde des pays... Tourne, tourne, tourne, on est fait pour être amis ». On reconnaît à peine Marion, déguisée en Africaine. Elle donne la main à Isabelle, en costume japonais...

Dans le public, Paul applaudit et interpelle Papa : « Est-ce que tous les pays du monde connaissent Jésus ? – Non, répond Papa, après le jour de la Pentecôte, les amis de Jésus sont partis parler de lui jusqu'au bout de la terre... Mais le monde est immense : on n'aura jamais fini de faire connaître et aimer Jésus ».

La danse est terminée. Tout le monde applaudit. Monsieur Dutoit appelle cette fois la classe de Paul pour la danse des corsaires. Papa encourage Paul : « À toi, petit pirate ! »

La bande dessinée

Marion et son amie Émilie ont bien joué.
Quel désordre dans la chambre !
Maman s'exclame : « Quelle pagaille !
On ne peut plus entrer ici !
Allez, maintenant il faut ranger ! »

Émilie et Marion ramassent les livres.
« Regarde, Émilie, dit Marion, c'est
la bande dessinée de la vie de Jésus.
C'est ma marraine qui me l'a offerte.

Émilie soupire : « C'est dommage
qu'on ne puisse pas voir Jésus en vrai ! »

Marion se rappelle : « Quand j'étais
petite, je croyais qu'il était dans les
étoiles qui bougent très vite !
– Impossible, dit Émilie. Il a été
un homme comme nous !
– Oui, maintenant je le sais », répond
Marion.

Maman leur explique : « Depuis
Pâques, Jésus est ressuscité. Mais on
ne peut plus le voir car il est vivant
d'une autre façon que nous.
– Bon d'accord, dit Marion, mais
comment il nous parle, alors ?
– Il nous parle dans l'évangile où sont
écrites ses paroles.
– Et puis, ajoute Émilie, quelquefois
on dirait que Jésus nous souffle
de bonnes idées pour faire plaisir
aux autres. Ça ne t'arrive jamais ? »
– Si, quelquefois répond Marion.
Puis elle embrasse Émilie et ajoute :
« Ce qui est bien, c'est que nous aussi
on peut se dire des choses sur Jésus !

Maman tire de sa poche deux sucettes
au miel : « Et voici pour les deux
coquines ! »

La sucette au miel

Marion a gardé la sucette au miel que Maman lui a donnée hier soir. Ce matin, elle veut la manger, mais elle a disparu de sa cachette préférée. Plus de sucette dans son tiroir à chaussettes... !

Elle gronde : « On m'a volé ma sucette
au miel ! » Elle court dans la chambre
de Paul et aperçoit la sucette... dans
la bouche de son frère. De colère,
Marion donne un grand coup de pied
dans la tour en bois construite par Paul...
Badaboum... Plus de tour ! Paul se fâche.
Marion pleure.

Papa intervient : « Arrêtez de vous
disputer ! » Marion continue : « Tu n'es
plus mon frère. C'est impossible que
Jésus aime les garçons comme toi ! »
Papa répond : « Ce que Jésus n'aime pas,
c'est le vol et la méchanceté qui rendent
très malheureux, mais il aime ton frère
comme il t'aime, toi ! »

Papa explique : « Avant de mourir,
Jésus a donné un commandement
à ses disciples : "Aimez-vous les uns
les autres comme je vous ai aimés".
Moi je crois, précise Papa, que c'est
la parole de Jésus la plus importante.
Elle est pour nous encore aujourd'hui ! »

De sa cachette secrète, Paul sort deux
carambars pour Marion. Et ensemble,
ils décident de reconstruire la tour.

J'ai compris !

Au temps de Jésus, ses amis le voyaient de leurs yeux.
Certains vivaient même avec lui et le connaissaient bien.

Après sa résurrection et avant de retourner vers Dieu son Père,
Jésus leur a promis qu'il ne les laisserait pas seuls. Le jour de
la Pentecôte, il leur a donné la force de son amour : l'Esprit Saint.

Aujourd'hui, je ne peux pas voir Jésus avec mes yeux.
Je ne peux pas l'entendre avec mes oreilles.

Mais à mon baptême, il m'a donné à moi aussi son Esprit Saint
pour apprendre à aimer comme lui.

Et il leur dit : « Et voici que
je suis avec vous pour toujours
jusqu'à la fin du monde ».

Matthieu 28, 20b

Paul et Marion ont encore beaucoup de questions sur Jésus. Ils sont curieux de le connaître.

Ce n'est pas si facile et pour cela il faut bien toute une vie !

Dans leur bible en bande dessinée, ils aiment beaucoup regarder l'histoire de sa vie, de ses rencontres, de sa mort et de sa résurrection.

Et puis, ils aiment aussi penser à lui et le prier avec Papa, Maman, Mamie, Grand-Père et Grand-Mère.

Petit à petit, ils comprennent mieux ses gestes et ses paroles de bonheur.

Comme Paul et Marion, tous les chrétiens veulent être des amis de Jésus pour apprendre à aimer comme lui.

Le coin des parents

« Où il habite Dieu ? », « Il est grand jusqu'où le monde ? »,
« Et avant le monde, qu'est-ce qu'il y avait ? », « Pourquoi on
meurt ? », « Jésus et Dieu, c'est pareil ? », « Au nom du Père et
du Fils et... de la mère ? »

La curiosité insatiable de votre petit enfant, porteur de mille
questions, vous émerveille tout autant qu'elle vous embarrasse.
Car vous devinez bien que derrière chaque « pourquoi » se cache
une véritable quête de sens et vous voulez trouver les mots les plus
simples et les plus adaptés pour y répondre.

La tâche n'est pas toujours facile car elle engage bien plus que la
transmission d'un savoir sur Dieu, sur l'Église, sur l'homme, la vie et le
monde. Pour grandir dans la foi le petit enfant a besoin d'entendre une
parole de foi ; celle de ses parents, de son entourage proche – parrain,
marraine, grands-parents –, et bien sûr celle des personnes qu'il
rencontre le dimanche à la messe ou dans les groupes d'éveil à la foi.

Dans le petit monde de Paul et de sa sœur Marion, il y a Pompon
le chat, Papa et Maman, Mamie, Grand-Père et Grand-Mère,
les amis, les cousins. Il y a aussi cet univers familier de l'enfance :
la crèche de Noël, une invitation un mercredi après-midi, un dessin
animé à la télévision, une promenade à vélo, une fête de Pâques

en famille... Très vite votre enfant deviendra complice de nos deux héros, au point sans doute de s'approprier leurs questions, leurs désirs, leurs réactions et de les prolonger dans sa vie quotidienne.

Ce livre n'a pas la prétention de tout dire sur le sujet, mais seulement de vous aider à écouter les interrogations si existentielles de votre petit enfant et à entrer en dialogue avec lui. A partir de là, tout est possible ! Les uns et les autres vous avancerez ensemble sur le chemin de la foi.

Jésus, qui es-tu ?

Pour le petit enfant, Jésus est à la fois proche et lointain. Proche, parce qu'il apprend à connaître Jésus à travers ses rencontres, par ses gestes et ses paroles. D'ailleurs les petits enfants aiment beaucoup entendre les récits de la vie de Jésus. Mais ils ont aussi le sentiment que Jésus est loin, ailleurs, au-delà de leur perception sensible. Ils voudraient le voir, l'entendre « pour de vrai »...

Il faut donc les aider à reconnaître dans leur vie quotidienne cette présence de Jésus, cette mise en œuvre de sa parole et de ses gestes. Faire ainsi le lien entre ce qu'ils connaissent de la vie de Jésus et leur vie personnelle, c'est entrer avec eux au cœur de la foi.

Il a grandi comme tous les enfants, Jésus ?

La crèche de Noël

« Il renaît à chaque Noël, Jésus ? »

Le scénario

Belle ambiance de veille de Noël et des derniers préparatifs. Les paquets cadeaux sont bien visibles, et pourtant le plus beau des cadeaux est, lui, invisible !

Entre impatience et mystère, Paul et Marion se préparent à le recevoir avant de découvrir les surprises contenues dans ces gros paquets.

Nous fêtons une vraie naissance

Noël n'est pas un anniversaire comme un autre. L'événement a bien eu lieu, il y a plus de 2000 ans, mais il porte encore des fruits dans l'histoire des hommes.

Le petit enfant vit le moment présent. Un enfant plus âgé peut avoir un sentiment de monotonie « Noël, c'est toujours la même chose... ». L'un et l'autre doivent comprendre que l'événement est unique mais les fruits en sont différents et nouveaux chaque année. Tout petit, l'enfant s'émerveille devant la naissance de Jésus, ensuite il découvre la paix et la joie produite par cette naissance. Plus tard, il prendra conscience de l'abaissement de Dieu fait homme.

Le papa de Jésus

« Il a deux papas, Jésus : Dieu et Joseph ? »

Le scénario

Sortie de messe : petits et grands se saluent et s'embrassent. Noël, c'est beaucoup de joie à partager, mais c'est aussi l'heure des grandes questions que Papa n'esquive pas et qu'il faudra sûrement expliquer et approfondir encore de nombreuses fois.

Cette fois, l'enfant Jésus est présent dans la crèche. Les enfants sont très sensibles à ce moment où l'on dépose la figurine de Jésus entre Marie et Joseph.

Jésus a un seul Père : Dieu

La question n'a rien de choquant. Elle est au contraire le signe que les enfants veulent comprendre un mystère que nous ne cessons jamais, nous-mêmes, d'approfondir. Il faut donc aider les enfants à bien distinguer la paternité terrestre que Joseph exerce auprès de Jésus de la paternité divine, paternité d'origine de Dieu lui-même.

Joseph a reçu pour mission de donner un nom et un statut social à Jésus, de l'aimer et de veiller à sa croissance et à son éducation. Par Joseph, Jésus s'enracine dans une histoire, dans une famille, celle de David ; par lui, il est héritier du peuple d'Israël.

Mais c'est Jésus qui nous révèle par sa parole et par ses actes son identité de Fils de Dieu et donc celle de son Père. Toute la vie du Christ est la manifestation de sa filiation divine telle que nous l'affirmons dans le *Credo*.

Le berceau cassé

« Jésus aussi a fait des bêtises ? »

Le scénario

Une petite bêtise et aussitôt Marion cherche à savoir si Jésus a, lui aussi, connu ce genre d'ennui.

Au-delà de l'incident, il faut bien entendre l'importance de la question de Marion. Elle a bien compris que Jésus fut, lui aussi, un enfant comme elle, mais sa véritable interrogation est de savoir si elle ressemble à Jésus en toute chose.

Un premier pas vers la notion de péché même si le mot n'est pas explicitement présent.

En Jésus, aucun péché

Une bêtise n'est pas un péché. Le péché implique un acte volontaire, conscient et délibéré.

Très tôt un enfant est apte à discerner le bien du mal, ce qui est un péché et ce qui ne l'est pas, encore faut-il l'éclairer... C'est la tâche de l'éducation et la responsabilité des parents.

Quant à Jésus, les évangiles ne s'attardent pas à raconter les faits de son enfance ; ce ne sont pas des reportages. Mais on y lit tout de même cette mention concise mais révélatrice : « Jésus grandissait en sagesse, en taille, et en grâce devant Dieu et devant les hommes » (Luc 2, 52).

En revanche, ils affirment clairement et constamment que Jésus est sans péché. Et qu'il a pouvoir de pardonner les péchés. L'enfant peut donc faire un pas de plus dans sa compréhension du pardon donné pour une bêtise, et du pardon plus profond donné après un acte mauvais.

Jésus, que fais-tu ?

C'est mercredi

« Le monde, c'est Dieu qui l'a créé !
Et Jésus alors, qu'est-ce qu'il a fait ? »

Le scénario

Marion sait déjà que Dieu est le Créateur du monde qui l'entoure (cf. *Le monde et moi !*). Donc, dans son esprit, Dieu a « fait » quelque chose un peu comme elle « fait » un beau dessin pour son amie. Mais Jésus, lui, qu'a-t-il fait ?

Avec l'arrivée de Paul et Théophile et l'histoire de Zachée, nous restons, malgré les apparences sur le même registre. Ce que Jésus a « fait », c'est pardonner. Le pardon est effectivement un acte de Jésus.

Quand il pardonne, Jésus agit

Pour un enfant, Dieu est le Créateur, notamment de ce qui le dépasse. Pour saisir le projet de rédemption dont le Christ est porteur, il faut avoir expérimenté consciemment le mal et désirer, de manière vitale, être sauvé.

Jésus nous montre clairement ce projet de rédemption. Par ses gestes et ses paroles, il nous révèle le vrai visage du Père et le chemin du salut.

« Jésus » signifie « Dieu sauve ». Il inaugure le Royaume des Cieux sur la terre.

La tempête

« Et Jésus, il ne pourrait pas arrêter cette tempête ? »

Le scénario

Décidément les questions de Paul et Marion fusent par tous les temps ! Même Mamie sous son parapluie n'y échappe pas et pourtant elle trouve les mots justes pour mettre Paul sur la voie.

Un miracle, ce n'est pas un tour de magie, ni une illusion, c'est une « vraie » action de Jésus.

Seul Jésus change les cœurs

Dans l'évangile, quand Jésus fait des miracles, ce n'est jamais pour lui-même mais toujours pour soulager, guérir, consoler, ou nourrir un autre. Par Jésus, le salut et le royaume de Dieu se manifestent. Cette œuvre s'accomplit par lui, avec lui et en lui.

La toute-puissance de Jésus est celle de l'amour. Elle n'est pas magique même si elle est étonnante. Les miracles de Jésus ont pour but de changer profondément et véritablement les cœurs et de redonner à l'homme toute sa plénitude.

La magie, elle, n'est rien d'autre qu'un jeu d'illusion.

Superman

« Tu as vu, Mamie : Superman, il vole et saute très haut...
Il est plus fort que Jésus ! »

Le scénario

Après la pluie et le vent, on se sent bien au chaud chez Mamie. Paul comme tous les garçons de son âge est fasciné par les tours de magie. Mais Marion n'est pas dupe, Paul non plus d'ailleurs. On sent bien que, dans sa comparaison entre Jésus et Superman, il sait remettre les choses à leur vraie place.

Cette petite scène a donc pour objectif de bien mettre en avant la toute-puissance de Jésus qui ne s'exerce ni dans la force ni par des exploits, mais dans l'amour pour les autres.

Jésus, c'est « pour de vrai » !

Jésus n'est pas un mythe. Il est réellement vivant. Il a vraiment vécu notre histoire humaine, et nous le croyons vivant présent à nos côtés chaque jour de notre vie.

Dans le miracle, l'enfant perçoit d'abord le côté magique, tout-puissant et étonnant. Il place Jésus et ses héros sur le même plan.

Il ne faut pas s'en étonner, mais saisir l'occasion pour lui montrer comment distinguer les récits de la vie de Jésus des contes.

Aidons-le à faire la différence, en introduisant, par exemple, la lecture d'une histoire de Jésus par un rituel tel qu'un signe de croix, un petit chant méditatif, ou encore une courte explication situant le récit dans la Bible, livre de l'histoire d'amour de Dieu pour les hommes.

Pourquoi Jésus est-il mort ?

La promenade à vélo

« Mais pourquoi on a tué Jésus ?
Pourtant, il ne faisait que du bien ! »

Le scénario

Dans cette scène et dans les suivantes, on relèvera le parallèle établi, toute proportion gardée, entre la tristesse de Paul et la situation de Jésus. Ici en cette belle journée de printemps toute la famille n'est pas à l'unisson. Paul fait l'expérience difficile de la séparation.

Après les scènes précédentes qui évoquaient la puissance de l'amour de Jésus, cette halte auprès d'un calvaire fait surgir la question de la mort de Jésus et du pourquoi. Une façon de faire percevoir aux enfants que l'amour n'est pas toujours reçu ni accueilli et qu'il peut faire souffrir.

Jésus nous a aimés jusqu'au bout

Il est toujours impressionnant de voir un enfant se révolter contre le sort fait à Jésus. En effet, quand un enfant a compris que Jésus n'agissait que par amour, il ne peut supporter l'idée de sa mise à mort. C'est pour lui la suprême injustice, et il a raison.

On pourra expliquer que certains chefs religieux refusent de reconnaître Jésus comme le Messie, le Fils de Dieu. Ils craignent que leur pouvoir soit déstabilisé et remis en cause car Jésus suscite le ralliement de beaucoup. Même Pilate qui pourtant n'a rien à craindre de lui accepte de le faire condamner... le comble de la lâcheté ! Mais il faudra surtout aider l'enfant à comprendre que la mort de Jésus ne met pas un terme à son amour. Sur la croix, Jésus continue d'aimer les hommes, tous les hommes, et il leur pardonne leur si grand péché.

La surprise

« Quand même, il aurait pu se sauver de la croix, Jésus ! »

Le scénario

Comme dans la scène précédente l'histoire se déroule sur deux registres qui ne sont pas sans rapport : la tristesse de Paul et la souffrance de Jésus.

Parce qu'il aime son ami, Paul pense toujours à lui. Parce qu'il nous aime, même sur la croix, Jésus pense à nous. Mais la tristesse et la mort n'auront pas le dernier mot. Il faut garder confiance et vivre dans l'espérance. Au terme de l'histoire, pointe un espoir de consolation : la surprise.

Jésus donne sa vie par amour pour nous

La tentation est grande de vouloir éviter la croix. Mais Jésus ne fait pas semblant de mourir. Il va jusqu'au bout et assume les conséquences du péché des hommes.

Par amour, il donne sa vie pour sauver le monde. Il nous montre ainsi jusqu'où va le mal, mais surtout jusqu'où va l'amour. Nous sommes devant le mystère le plus grand.

Il est important de montrer aux enfants que Jésus sur la croix est toujours dans « la main » de son Père et qu'il a confiance en la toute-puissance du Père qui ne veut pas la mort mais la vie.

La course aux œufs

« Comment on sait qu'il est revivant, Jésus ? »

Le scénario

Tous les enfants aiment ce moment merveilleux de la recherche des œufs de Pâques. Il s'agit ici de bien situer la scène dans son contexte. Si l'œuf est présenté comme le symbole de la vie, c'est pour que l'enfant entre un peu mieux dans ce grand mystère qu'est celui de la résurrection, de la vie pour toujours.

Le bel œuf que nous voyons en premier plan, cette belle surprise que Paul a préparée pour son ami est le signe de leur amitié qui est plus forte que la séparation. La fin de l'histoire est plus qu'un *happy end*, elle est la consolation après l'épreuve.

Croire les témoins sur paroles

Personne n'a été témoin oculaire de la résurrection. Le premier signe de la résurrection, c'est le tombeau ouvert et vide, et les linges repliés là (cf. Jean 20, 7). Ensuite, Jésus ressuscité est apparu aux disciples. C'est grâce à leur témoignage que nous croyons en la résurrection. C'est sur le témoignage des apôtres qu'aujourd'hui encore nous fondons notre foi.

Or un petit enfant a déjà l'expérience de la confiance dans une parole dite notamment celle de ses parents. C'est pour lui une première expérience de la foi.

Comment il nous parle, Jésus ?

La fête de l'école

« Est-ce que tous les pays du monde connaissent Jésus ? »

Le scénario

Belle ambiance de spectacle auquel les enfants aiment tant participer. Cette fois nous quittons les repères quotidiens de Paul et Marion pour évoquer la diffusion de l'Évangile dans le monde entier.

Une première approche de la mission de l'Église et des chrétiens.

Un peuple de témoins

L'enfant est naturellement ouvert et curieux. Saisissons toutes les occasions pour susciter et éveiller sa curiosité vis-à-vis de Jésus (lectures, vie d'Église, rencontres de témoins...).

Toutefois, tout savoir sur la vie de Jésus ne signifie pas croire en lui. Pour vivre avec Jésus, l'enfant a besoin du témoignage notamment de celui de ses proches.

De témoin à témoin, l'Église grandit depuis la Pentecôte, avec la force de l'Esprit Saint.

Le jour de l'Ascension, Jésus a confié une mission à ses disciples : « Allez donc, de toutes les nations faites des disciples, baptisez-les au nom du Père, du Fils et du Saint-Esprit ; et apprenez-leur à garder tous les commandements que je vous ai donnés. Et moi, je suis avec vous tous les jours jusqu'à la fin du monde » (Matthieu 28, 19-20).

La bande dessinée

« Pourquoi on ne peut pas voir Jésus en vrai ?...
Comment il nous parle alors ? »

Le scénario

Dans le petit univers de Marion, il y a des jeux, des poupées, des peluches, et son amie Émilie. Mais il y a aussi cette bande dessinée sur Jésus, preuve que ce livre n'est pas oublié sur une étagère inaccessible mais bien présent dans la vie de sa propriétaire !

Une façon toute simple de signifier que les paroles et les actes de Jésus font partie de la vie quotidienne de Marion et de sa famille.

Jésus présent par sa parole

Le désir de voir et toucher Jésus est légitime. Jésus d'ailleurs ne s'est pas dérobé à la demande de Thomas, mais il dira aussi à Marie Madeleine qui voulait sans doute le garder dans le cercle restreint des disciples : « Ne me retiens pas ». Après sa résurrection, Jésus est désormais donné à tous, auprès de tous, en tout temps, en tout lieu. Son mode de présence est tout autre. D'auprès du Père, il nous envoie son Esprit, et c'est ainsi que nous pouvons vivre en union avec lui.

Aujourd'hui, Jésus se rend présent à nous par toute son Église, sa parole, les sacrements, la prière, et la vie fraternelle. Disponibilité, silence, intériorité, ouverture au beau et au bien, attention aux autres, mobilisation de la volonté, toutes ces dispositions sont nécessaires pour se rendre présent au Christ.

Une éducation quotidienne à l'intériorité, à la prière et à l'écoute de la Parole aidera naturellement l'enfant à se mettre en présence du Seigneur et à éprouver cette nécessité au milieu des multiples dimensions de sa vie.

La sucette au miel

« C'est impossible que Jésus aime les garçons comme toi ! »

Le scénario

Rebondissement sur la scène précédente. Paul est pris en flagrant délit de « vol » et Marion de vengeance ! Plus grave encore que le coup de pied dans la construction de son frère, elle déclare que Jésus ne l'aime pas. Pour endiguer cette escalade de violence fraternelle, Papa intervient.

Grâce à ses paroles de foi, on sent que les choses s'apaisent peu à peu et que la réconciliation est le fruit de l'effort de chacun.

Le pardon : revivre dans la confiance

Jésus aime tout homme, quelle que soit sa condition et son état de péché. Ce qu'il déteste par-dessus tout, c'est le péché lui-même.

À la pécheresse, il dit : « Femme, je ne te condamne pas, va mais ne pèche plus ! » (Jean 8, 11).

Le sens du sacrement du pardon se met en place progressivement, dès le plus jeune âge. Le pardon est une invitation à la conversion. Il ne s'agit pas d'effacer le péché d'un coup de baguette magique, mais d'ouvrir un chemin qui invite à aller au-delà du don de nous-mêmes. Par le pardon, une confiance est redonnée pour continuer à grandir et à vivre à nouveau dans l'alliance. C'est le fruit de la réconciliation.

Table des matières